时令如花

七十二候·花信风

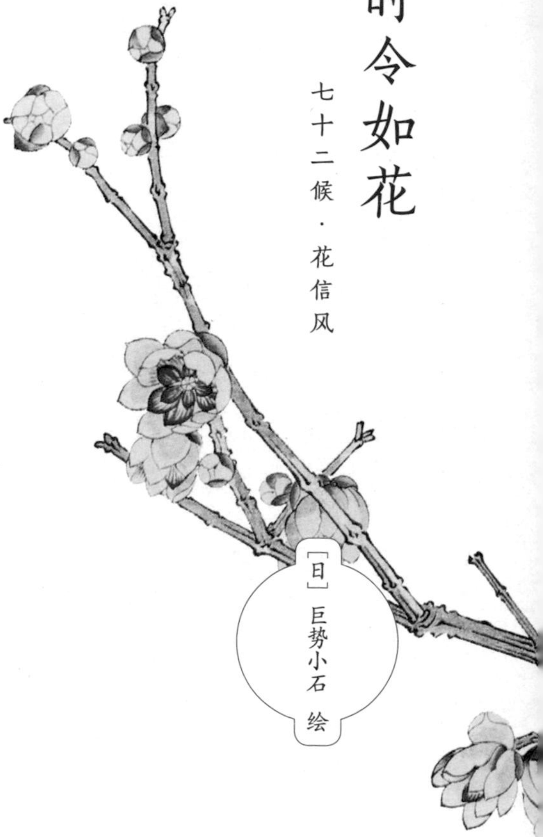

〔日〕巨势小石 绘

中国画报出版社·北京

一年之计在于春

当下的国人在同时使用三种历法：公历、农历、皇历。公历也称阳历，新年第一天称“元旦”；农历也称阴历，大年初一称“春节”；皇历是以干支纪年为基础，一般由朝廷颁布，故称“皇历”，典型标志就是“二十四节气”，“立春”为新年第一天。这三种历法，在生活中各有所用，看公历办公，依农历过节，凭皇历感知自然时令。前二者不难理解，颇有讲究的是皇历。

公历为太阳历，地球绕太阳一周为一年，三百六十五天；农历为月历，月球绕地球一周为一月，二十九天半，十二周为三百五十四天；皇历其实是太阳历，即把地球绕太阳一周的时间平均分成二十四等份，是为“二十四节气”，对应着四季的变化，所以，皇历是非常精准、非常科学的历法。

“花木管时令”，《西游记》有这样的桥段，孙悟空漂洋过海随菩提祖师学艺，一晃数年过去，一天祖师问他来门下学艺多久，那原本口齿伶俐的猴子不好意思地说，自己一向糊涂，不识多少时节，“只记得灶下无火，常去山后打柴，见一山好桃树，我在那里吃了七次饱桃矣”。中国古人是从动植物的自然变化中感受时令变迁、季节转换的，特别是植物的花开花落，更是时令的标志，古人称之为“花信风”。

唐人徐师川诗云：“一百五日寒食雨，二十四番花信风。”

《岁时记》曰：“一月二气六候，自小寒至谷雨。四月八气二十四候，每候五日，以一花之风信应之。”我国古代以五日为一候，三候为一个节气。每年，从小寒到谷雨这八个节气里共有二十四候，每候都有某种花卉绽蕾开放，于是有了“二十四番花信风”之说，此后逐渐发展成一年二十四节气和七十二候。人们在七十二候每一候内开花的植物中，挑选一种花期最准确的植物为代表，称其为这一候中的花信风。

《易经》有言：“夫大人者，与天地合其德，与日月合其明，与四时合其序，与鬼神合其吉凶。先天而天弗违，后天而奉天时。”所谓“与四时合其序”、“奉天时”，就是人应该顺应自然，成就“大人”。但是习惯于观赏温室植物、吃反季节蔬菜的城市人，已经渐渐失去了感知自然的能力，完全依赖日历和挂历的提醒，否则真的是“城中无甲子，寒尽不知年”了。

这个皇历小本子，以“立春”为新年第一天，约五天一候，总共七十二番花信风。无论身处何地，打开此书，你都能感受到自然时令的转换和万物生灵的脉息。

打开，春天就来了！

中国画报出版社社长 于九涛

时令如花

七十二候·花信风

立春一候 金盞貼地

側金盞花。一名長春菊。苗類胡蘿蔔。花象單瓣菊花。正月之吉。茁而未舒。午閒巡園。唯見金盞箇箇貼地。似有欲獻壽主人之心。

初候，东风解冻。

阳和至而坚凝散也。

自秦代以来，我国就一直以立春作为春季的开始。时至立春，人们明显地感觉到白昼长了，太阳暖了。气温、日照、降雨，常处于一年中的转折点，趋于上升或增多。人们按旧历习俗开始『迎春』，我国的台湾还将立春这一天定为『农民节』，这是冬三月农闲后的最后一天休息。

『立春』这一天，民间习惯吃萝卜、姜、葱、面饼，称为『咬春』。但是各地的不同风俗又有不同的表现。人们还会吃一些春天的新鲜蔬菜，既为防病，又有迎接新春的意味。唐《四时宝镜》记载：『立春，食芦、春饼、生菜，号「菜盘」。』可见唐代人已经开始试春盘、吃春饼了。

立春二候　銀眼遍條

柳屬而其枝揚。故謂之楊。先葉有花眼之纔脫殼。陸離耀銀。點綴遍條。俗呼爲狗兒柳。

二候，蛰虫始振。

振，动也。

春日春盘细生菜，忽忆两京梅发时。盘出高门行白玉，菜传纤手送青丝。
巫峡寒江那对眼，杜陵远客不胜悲。此身未知归定处，呼儿觅纸一题诗。
——唐 杜甫《立春》

一二三四五六七，万木生芽是今日。
远天归雁拂云飞，近水游鱼进冰出。
——唐 罗隐《京中正月七日立春》

立春三候 早梅馥郁

南方地暖。梅花開常早。東西京以皇曆三月為花期。如飛驛高山。待五六月初開。為其寒之故也。凡物賞早。古人所以重江南一枝。

三候，鱼陟负冰。

陟，音职，升也，高也。阳气已动，鱼渐上游而近于冰也。

立春后五日，春态纷婀娜。白日斜渐长，碧云低欲堕。残冰坼玉片，新萼排红颗。遇物尽欣欣，爱春非独我。迎芳后园立，就暖前檐坐。还有惆怅心，欲别红炉火。

——唐 白居易《立春后五日》

西园梅放立春先，云镇霄光雨水连。

雨水一候　菟葵動摇

高不過二三寸。葉類牛扁而瘦。頂開一花。淡白如梅。以其小草而產深山。人少知者。有類隱君子。劉夢得有菟葵燕麥動摇春風之語。吾以爲冤。

初候，獭祭鱼。

此时鱼肥而出，故獭先祭而后食。

公历每年二月十八日前后为雨水节气，此时太阳到达黄经330度。雨水，表示两层意思：一是天气回暖，降水量逐渐增多了；二是在降水形式上，雪渐少了，雨渐多了。

此节气应多吃新鲜蔬菜、水果，清淡饮食，以补充人体水分，菠菜、韭菜等都是不错的蔬菜，少吃羊肉、狗肉等温热之品。食疗多以粥为好，可做成莲子粥、山药粥、红枣粥等。

雨水二候　歲蘭影瘦

大葉短濶。瘦影綻春。故又謂之報歲蘭。有蘭名而無其香。盆栽家專賞葉。

二候，候雁北。

自南而北也。

天街小雨润如酥，草色遥看近似无。最是一年春好处，绝胜烟柳满皇都。

——唐 韩愈《早春呈水部张十八员外》

春雨足，染就一溪新绿。柳外飞来双羽玉，弄晴相对浴。
楼外翠帘高轴，倚遍阑干几曲。云淡水平烟树簇，寸心千里目。

——唐 韦庄《谒金门》

雨水三候　黄連色鵾

葉類芹或象菊。大小長短不一。凌霜雪不凋。清苦之性乃然。一種葉如五加者。花最大。浮出綠葉上。拂之不去。有似梅花點壽陽公主額。或呼爲梅花黄連。

三候，草木萌动。

是为可耕之候。

怅卧新春白袷衣，白门寥落意多违。红楼隔雨相望冷，珠箔飘灯独自归。
远路应悲春畹晚，残宵犹得梦依稀。玉珰缄札何由达，万里云罗一雁飞。
——唐 李商隐《春雨》

半月交得雨水后，獭祭鱼时随应候，
候雁时催也北乡，那堪草木萌芽透。

啟蟄一候　茱萸峭直

山茱萸。先葉有花。可剪插缾。但𤏲枝柯峭直乏雅趣耳。結實如桃葉珊瑚。供藥用。邦人嘗以胡頽子爲山茱萸。又混山茱萸吳茱萸爲一。指胡頽子爲可佩以辟瘟者。誤之甚也。

一候，桃始华。

阳和发生，自此渐盛。

惊蛰过后，大地复苏，阳气上升。俗话讲：『惊蛰过，百虫苏。』民间流行着许多驱毒的活动。人们吃驴打滚寓意『害虫死，人翻身』。

惊蛰时节人体的肝阳之气渐升，阴血相对不足，养生应顺乎阳气升发、万物始生的特点，使自身的精神、情志、气血也如春日一样舒展畅达，生机盎然。从饮食方面来看，宜多吃富含植物蛋白质、维生素的清淡食物，少食动物脂肪类食物。

啟蟄二候　連翹妖嬈

有藤本木本二種。並開四瓣黃花。藤本者柔枝妖嬈。甚可觀。木本者收子供藥用。

二候，仓庚鸣。

黄鹂也。

微雨众卉新，一雷惊蛰始。田家几日闲，耕种从此起。丁壮俱在野，场圃亦就理。归来景常晏，饮犊西涧水。饥劬不自苦，膏泽且为喜。仓禀无宿储，徭役犹未已。方惭不耕者，禄食出闾里。

——唐 韦应物《观田家》

浮云集。轻雷隐隐初惊蛰。初惊蛰。鹁鸠鸣怒，绿杨风急。玉炉烟重香罗浥。拂墙浓杏燕支湿。燕支湿。花梢缺处，画楼人立。

——宋 范成大《忆秦娥》

啟蟄三候 麝繡香囊

百花之中。氣尤烈者爲瑞香。蕾之初綻。與麝之自剔香囊比。人因呼瑞香爲麝囊。

三候，鹰化为鸠。

鹰，鸷鸟也。此时鹰化为鸠，至秋则鸠复化为鹰。

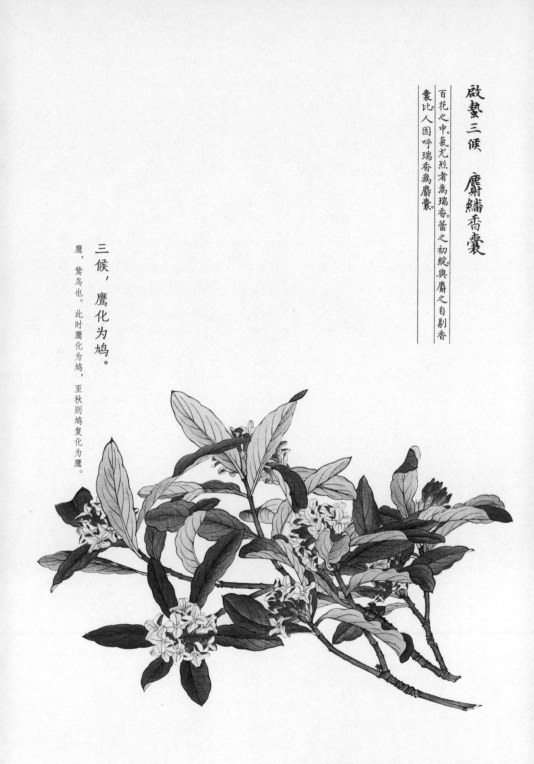

昨夜春雷作，荷锄理南陂。杏花将及候，农事不可迟。
蚕女应自念，牧童仍我随。田中逢老父，荷杖独熙熙。

——宋 梅尧臣《田家》

惊蛰初交河跃鲤，春分蝴蝶梦花间。

春分一候　驢駄布袋

驢駄布袋。樹高五六尺。葉如小蘗較大。開五瓣淡紅花。花後出絲垂實。一蒂二子。一大一小。其色赤。如驢駄布袋。如樹掛壷盧然。

一候，玄鸟至。

燕来也。

春分的意思，一是指一天时间白天黑夜平分，各为十二小时；二是古时以立春至立夏为春季，春分正当春季三个月之中，平分了春季。古时又称为『日中』『日夜分』『仲春之月』。在春分的那一天，人们选择一个光滑匀称、刚生下四五天的新鲜鸡蛋，轻手轻脚地在桌子上把它竖起来，俗称『立春蛋』。

由于春分节气平分了昼夜、寒暑，人们在保健养生时应注意保持人体的阴阳平衡状态。因此除了科学合理的膳食外，我们还要提高自身免疫力。在思想上要保持轻松愉快、乐观向上的精神状态。在起居方面要坚持适当锻炼，保持正常睡眠时间。注意补充水分和电解质，以促进血液系统循环帮助维持机体平衡，达到养生的最佳效果。

春分二候　杏林術懃

董奉善醫。治病不求報。但使栽杏一株。後人遂以杏花為醫家之物。不言術懃古人。或不可歟。

二候，雷乃发声。

雷者阳之声，阳在阴内不得出，故奋激而为雷。

仲春初四日，春色正中分。绿野徘徊月，晴天断续云。
燕飞犹个个，花落已纷纷。思妇高楼晚，歌声不可闻。
——唐 徐铉《春分日》

候馆梅残，溪桥柳细，草薰风暖摇征辔。离愁渐远渐无穷，迢迢不断如春水。寸寸柔肠，盈盈粉泪，楼高莫近危阑倚。平芜尽处是春山，行人更在春山外。

——宋　欧阳修《踏莎行》

春分三候　櫻桃賞廏

古人呼櫻爲白櫻爲山櫻。即今之櫻桃花也。自日本櫻專美於東方。莫有復賞櫻桃者。今人唯玩其實耳。

三候，始电。

电者阳之光，阳气微则光不见，阳盛欲达而抑于阴，其光乃发，故云始电。

雪入春分省见稀，半开桃李不胜威。应惭落地梅花识，却作漫天柳絮飞。

不分东君专节物，故将新巧发阴机。从今造物尤难料，更暖须留御腊衣。

——宋　苏轼《癸丑春分后雪》

春色平分才一半，同时玄鸟重相见，
雷乃发声天际头，闪闪云开始见电。

清明一候　玉蘭媲潔

辛夷木蘭皆可觀。而其可媲潔于玉比芳于蘭者。獨此花爲然。

一候，桐始华。

我国传统的清明节大约始于周代，已有两千五百多年的历史。清明最开始是一个很重要的节气，后来由于清明与寒食的时间接近，而寒食是民间禁火扫墓的日子，渐渐地，寒食与清明就合二为一了。古人说，清明乃天清地明之意。此时气候温暖、桃花初绽、杨柳泛青，正是祭祖扫墓和踏青赏花的日子。

清明时节，江南一带有吃青团子的风俗习惯。青团子是将名叫『浆麦草』的野生植物捣烂后挤压出汁，用这种汁同晾干后的水磨纯糯米粉拌匀揉和后，再以糖豆沙为馅蒸熟而制成。青团子油绿如玉，糯韧绵软，清香扑鼻，吃起来甜而不腻，肥而不腴。

清明二候　桃李争態

東風日暖。梅杏相續謝。此時桃紅李白。東家西家。各各爭態。猶佳人連房呈媚爭寵者。雖非雅人之賞。糚春之盛。以二花為第一。

二候，田鼠化为鴽，牡丹华。

鴽音如，鹌属。鼠，阴类。阳气盛则鼠化为鴽，阴气盛则复化为鼠。

好风胧月清明夜，碧砌红轩刺史家。
独绕回廊行复歇，遥听弦管暗看花。
——唐　白居易《清明夜》

世味年来薄似纱，谁令骑马客京华？小楼一夜听春雨，
深巷明朝卖杏花。矮纸斜行闲作草，晴窗细乳戏分茶。
素衣莫起风尘叹，犹及清明可到家。

——宋　陆游《临安春雨初霁》

清明三候　海紅雲凝

蜀之有海棠。猶吾邦有櫻花。方其花盛。遠望之與雲如一。邦人愛海棠。專務盆養。西土所呼爲垂絲者也。西府海棠樹頗大。花艷於櫻花。人不甚重何耶。

三候，虹始见。

虹，音洪，阴阳交会之气，纯阴纯阳则无。若云薄漏日，日穿雨影，则虹见。

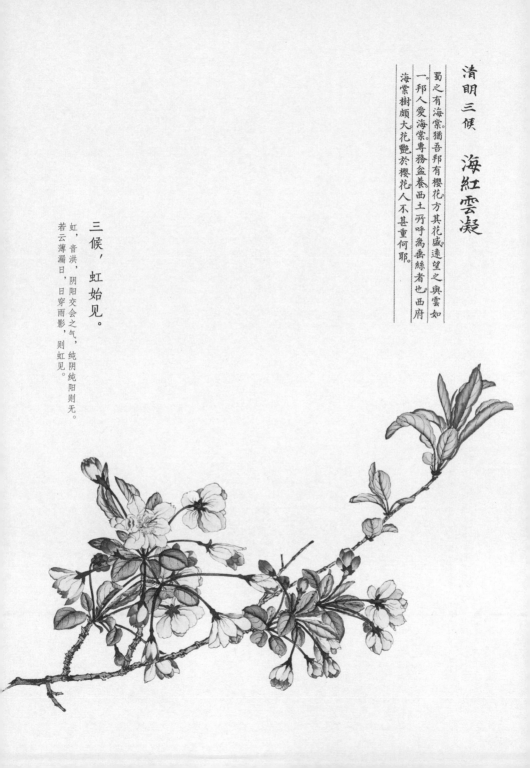

佳节清明桃李笑，野田荒冢只生愁。雷惊天地龙蛇蛰，雨足郊原草木柔。

人乞祭余骄妾妇，士甘焚死不公侯。贤愚千载知谁是，满眼蓬蒿共一丘。

——宋 黄庭坚《清明》

清明风筝放断线，谷雨嫩茶翡翠连。

穀雨一候 棣棠金碎

花色純黄比秋菊。柔枝裊娜。映水甚有趣。雨灑風擺。怯金盌破碎。

一候，萍始生。

作为春季最后一个节气，谷雨有两个意思：第一个意思是播谷降雨，预示着谷雨时节雨水充足适合谷物生长；第二个意思则与谷雨的由来有关，传说仓颉造字「天雨谷，鬼夜哭」，所以把仓颉造字这一天叫作谷雨。

在南方，谷雨时节有摘茶习俗，传说谷雨这天的茶喝了会清火、辟邪、明目等。谷雨节气北方有食香椿习俗，谷雨前后是香椿上市的时节，这时的香椿醇香爽口，营养价值高，有『雨前香椿嫩如丝』之说。

穀雨二候　紫雲鋪野

雜草可以美地者爲紫雲英。農家播種閒田。翻以爲肥料。及至花時。與麥苗菜花三色錯雜。美自氍毹。負郭之居違俗之士。晴日登高一望。欣然思往履之。

二候，鸣鸠拂其羽。

飞而两翼相拍，农急时也。

惆怅阶前红牡丹，晚来唯有两枝残。
明朝风起应吹尽，夜惜衰红把火看。
——唐 白居易《惜牡丹花》

春来日日困春酲，徂岁如驰得我惊。山寺馈茶知谷雨，
人家插柳记清明。登阶勃窣晨鸡老，侵路纵横野草生。
堪叹筋骸犹健在，强随丁壮事深耕。

——宋　陆游《春日》

穀雨三候　紅玉映茵

茂叔呼牡丹為富貴花。紫幄障日。湘簾遮風。各種皆佳。而推大如盤色如紅玉者為最。拂檻映茵。千載之下。令人想沉香亭含笑之女。

三候，戴胜降于桑。

织之鸟，一名戴鵀，降于桑以示蚕妇也，故曰女功兴而戴鵀鸣。

春涨一篙添水面。芳草鹅儿，绿满微风岸。画舫夷犹湾百转。横塘塔近依前远。江国多寒农事晚。村北村南，谷雨才耕遍。秀麦连冈桑叶贱。看看尝面收新茧。

——宋 范成大《蝶恋花》

三月中时交谷雨，萍始生遍间洲渚，
鸣鸠自拂其羽毛，载胜降于桑树隅。

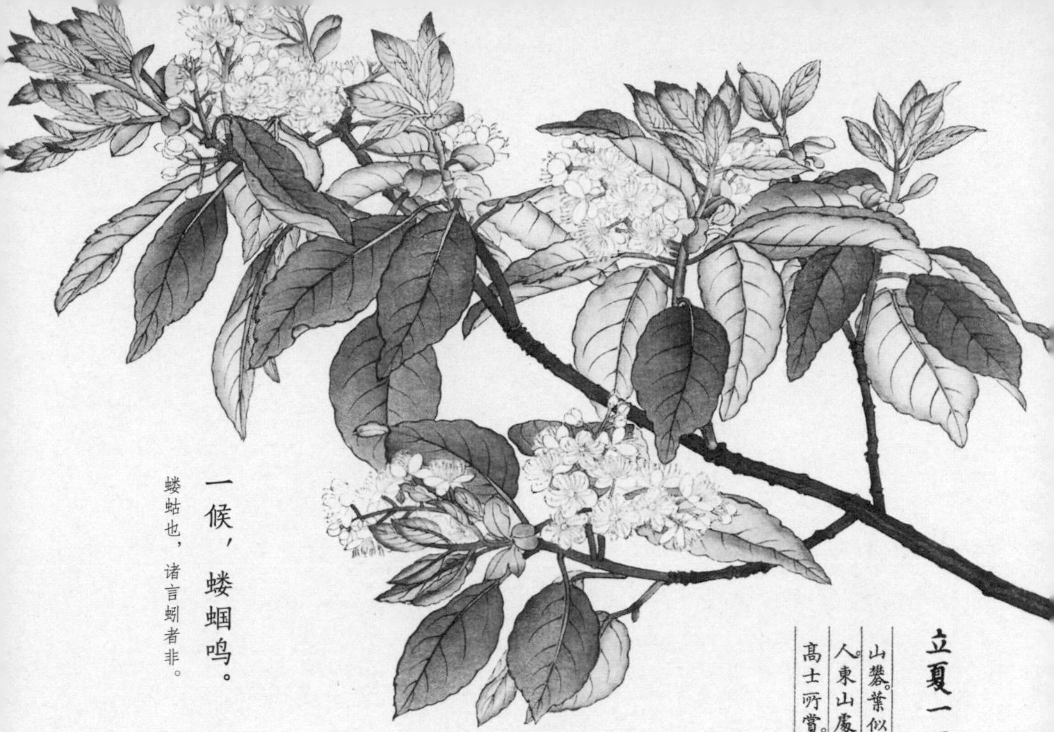

立夏一候　山礬閣前

山礬。葉似冬青。可用染黄。白花五出。十百攢開。香氣襲人。東山處處有之。清水寺大悲閣前一樹。樹古而花繁。高士所賞。

一候，蝼蝈鸣。

蝼蛄也，诸言蚓者非。

在天文学上，立夏表示即将告别春天，是夏天的开始。人们习惯上把立夏视为温度明显升高，炎暑将临，雷雨增多，农作物进入旺季生长的一个重要节气。我国古来很重视立夏节气。据记载，周朝时，立夏这天，帝王要亲率文武百官到郊外『迎夏』，并指令司徒等官员去各地勉励农民抓紧耕作。

俗传，立夏吃蛋，用红茶或胡桃壳煮蛋，称『立夏蛋』，相互馈送。乡间用赤豆、黄豆、黑豆、青豆、绿豆等五色豆拌合白粳米煮成『五色饭』，后演变为倭豆肉煮糯米饭，菜有苋菜黄鱼羹，称『吃立夏饭』。

立夏二候　石巖水濱

躑躅先開。次開者石巖。最後杜鵑花。石巖著花尤容。殆至不見葉。栽在水濱。紅影漾波。對岸望之。五叢作十叢看。

二候，蚯蚓出。

蚯蚓阴物，感阳气而出。

梅子留酸软齿牙，芭蕉分绿与窗纱。
日长睡起无情思，闲看儿童捉柳花。
——宋 杨万里《闲居初夏午睡起》

赤帜插城扉，东君整驾归。泥新巢燕闹，花尽蜜蜂稀。
槐柳阴初密，帘栊暑尚微。日斜汤沐罢，熟练试单衣。
——宋 陆游《立夏》

立夏三候　白桐迎夏

白桐謂其村。紫桐謂其花。紫本閒色。夫子惡其奪朱。然桐花之浮葉上。楝花紫藤之潛葉底。洵美且都。非桃李妖艷之比也。

三候，王瓜生。

王瓜色赤，阳之胜也。

四月清和雨乍晴，南山当户转分明。
更无柳絮因风起，惟有葵花向日倾。
——宋 司马光《客中初夏》

牡丹立夏花零落，玉簪小满布庭前。

小滿一候　紅藥殿春

芍藥次牡丹開。猶是春花之殿。俗形容美人。立則芍藥坐牡丹。言其有豐肌弱骨不堪衣之態度也。花色不一。以紅者爲上。故又謂之紅藥。

一候，苦菜秀。

火炎上而味苦，故苦菜秀。

小满的含义是夏熟作物的籽粒开始灌浆饱满，但还未成熟，只是小满，还未大满。从气候特征来看，从小满节气到下一个芒种节气期间，全国各地渐次进入夏季，南北温差进一步缩小，降水进一步增多。春风吹，苦菜长，荒滩野地是粮仓。小满前后也是吃苦菜的时节，苦菜是中国人最早食用的野菜之一。

小满节气中气温明显增高，雨量增多，雨后气温会急剧下降，所以要注意添加衣服，不要着凉受风而患感冒。饮食调养宜以清淡的素食为主，常吃具有清利湿热作用的食物，如赤小豆、冬瓜、黑木耳、草鱼、鸭肉等；忌食高粱厚味，甘肥滋腻，生湿助湿的食物，如动物脂肪、海腥鱼类、酸涩辛辣、性属温热助火之品及油煎熏烤之物。

小滿二候　紫楝色褪

二十四番花信風。以楝花為殿。樹高而葉密。花碎而色紫。雅觀有餘。只恐風饕雨虐失其真。品評宜及其色未褪。

二候，靡草死。

葶苈之屬。

一春多雨慧当悭，今岁还防似去年。
玉历检来知小满，又愁阴久碍蚕眠。
——宋 赵蕃《自桃川至辰州绝句四十有二》

缫作缫车急急作，东家煮茧玉满镬，西家卷丝雪满籰。汝家蚕迟犹未箔，小满已过枣花落。夏叶食多银瓮薄，待得女缫渠已着。懒归儿，听禽言，一步落人后，百步输人先。秋风寒，衣衫单。

——宋 邵定《缫车》

小滿三候　杜鵑血新

禽有杜鵑。花亦有杜鵑。豈以花開禽啼適同時乎。俗傳。蜀王杜宇死爲鵑。盡聲而啼。至于吐血。謂其口中之赤也。遂至以花之紅爲啼血所染。傳會之甚。嵐峽之水。自鳳津至嵯峨。左右皆花。舟下溪者。以芒種爲時。

三候，麦秋至。

秋者，百谷成熟之期。此时麦熟，故曰麦秋。

南风原头吹百草，草木丛深茅舍小。麦穗初齐稚子娇，桑叶正肥残食饱。
老翁但喜岁年熟，饷妇安知时节好。野堂梨密啼晚莺，海石榴红啭山鸟。
田家此乐知者谁，我独知之归不早。乞身当及强健时，顾我蹉跎已衰老。

——宋 欧阳修《归田园四时乐春夏二首·其二》

小满瞬时更迭至，间寻苦菜争荣处，
靡草干朽死欲枯，微看初暄麦秋至。

芒種一候　麗春滿園

麗春花。一名虞美人草。嫣然低頭。甚有嬌容。分畦栽之。可以比曉日靚裝千騎女。

一候，螳螂生。

俗名刀螂，说文名拒斧。

这一时期天气炎热，进入典型的夏季。大麦、小麦等有芒作物种子已经成熟，抢收十分急迫。晚谷、黍、稷等夏播作物也正是播种最忙的季节，故又称「芒种」。在南方，每年五、六月是梅子成熟的季节，三国时有「青梅煮酒论英雄」的典故。

芒种时节，气温逐渐升高，天气转热，『暑易入心』，宜多吃能祛暑益气、生津止渴的食品。起居方面，要晚睡早起，适当地接受阳光照射（避开太阳直射，注意防暑），以顺应阳气的充盛，利于气血的运行，振奋精神。

芒種二候　山丹盈尺

均是六瓣。仰向上者爲山丹。俯向下者爲卷丹。不仰不俯左右顧者爲百合。卷丹莖尤長。山丹莖尤短。高纔盈尺。色以赤爲常。故曰丹。

二候，鵙始鸣。

居畜切，伯劳也。

凌波不过横塘路，但目送、芳尘去。锦瑟华年谁与度？月台花榭，琐窗朱户，只有春知处。碧云冉冉蘅皋暮，彩笔新题断肠句。试问闲愁都几许？一川烟雨，满城风絮，梅子黄时雨。

——宋 贺铸《青玉案》

田夫抛秧田妇接，小儿拔秧大儿插。笠是兜鍪蓑是甲，
雨从头上湿到胛。唤渠朝餐歇半霎，低头折腰只不答。
秧根未牢莳未匝，照管鹅儿与雏鸭。

——宋 杨万里《插秧歌》

芒種三候　玫瑰可珍

產于濱海之地。鐵幹多刺。葉如野薔薇。花如金罌子。色粉紅氣清遠。藏落英于書冊中。經年色香依然。結實如玫瑰。玫瑰赤珠之可珍者。

三候，反舌无声。

百舌鸟也。

时雨及芒种，四野皆插秧。
家家麦饭美，处处菱歌长。

——宋　陆游《时雨》

隔溪芒种渔家乐，农田耕耘夏至间。

夏至一候　紅藍堪摘

花葉類小薊。染料多種。莫若紅花之美。葉之嫩可煠爲茹。子之老可榨爲油。利民之功可次藍。

一候，鹿角解。

阳兽也，得阴气而解。

夏至是二十四节气中最早被确定的一个节气。公元前七世纪，先人采用土圭测日影，就确定了夏至。每年的夏至从6月21日（或22日）开始，至7月7日（或8日）结束。据《恪遵宪度抄本》：『日北至，日长之至，日影短至，故曰夏至。至者，极也。』夏至这天，太阳直射地面的位置到达一年的最北端，几乎直射北回归线（北纬23°26′），北半球的白昼达到最长，且越往北昼越长。

周代已有在夏至祭神的仪式，当时的人们认为这样可以消除国中的疠疫、荒年与人民的饥饿。在北方有『冬至馄饨夏至面』的说法。在西北地区如陕西，此日食粽，并取菊为灰用来防止小麦受虫害。南方有的地方吃麦粥，中午则要吃馄饨。

夏至二候　安石榴明

自漢使得之西域。已爲張氏之果。百子同房。又似公藝之居。黴雨湮鬱之日。朱花如火。得雨欲然。可以蘇書窗午倦之眼。

二候，蜩始鸣。

蜩，音调，蝉也。

昼晷已云极，宵漏自此长。未及施政教，所忧变炎凉。公门日多暇，是月农稍忙。高居念田里，苦热安可当。亭午息群物，独游爱方塘。门闭阴寂寂，城高树苍苍。绿筠尚含粉，圆荷始散芳。于焉洒烦抱，可以对华觞。

——唐 韦应物《夏至避暑北池》

忆在苏州日，常谙夏至筵。粽香筒竹嫩，炙脆子鹅鲜。
水国多台榭，关风尚管弦。每家皆有酒，无处不过船。
交印君相次，褰帷我在前。此乡俱老矣，东望共依然。
洛下麦秋月，江南梅雨天。齐云楼上事，已上十三年。

——唐 白居易《和梦得夏至忆苏州呈卢宾客》

夏至三候　剪夏羅赤

剪羅爲花。勝紙裁遠矣。刻通草爲花。則又勝綾羅之美。而奈竟欠芬芳。此種四時有花。各異名。春開者爲剪春羅。夏開者爲剪夏羅。花皆無香。剪羅涂絳稍可擬。

三候，半夏生。

药名也。阳极阴生。

长养功已极，大运忽云迁。人间漫未知，微阴生九原。
杀生忽更柄，寒暑将成年。崔巍干云树，安得保芳鲜。
几微物所忽，渐进理必然。韪哉观化子，默坐付忘言。
——宋 张耒《夏至》

夏至才交阴始生，鹿乃角解养新茸，
阴阴蜩始鸣长日，细细田间半夏生。

小暑一候　瑪哩繡毬

花有二種。青者如匀白青。紅者如沃淡胭脂水。漳州府志載瑪哩花。花曆百詠載天麻裹。並以漢字填日本誤名也。瑪哩天麻裹皆繡毬之謂。而與皇漢同稱繡毬花別。

一候，温风至。

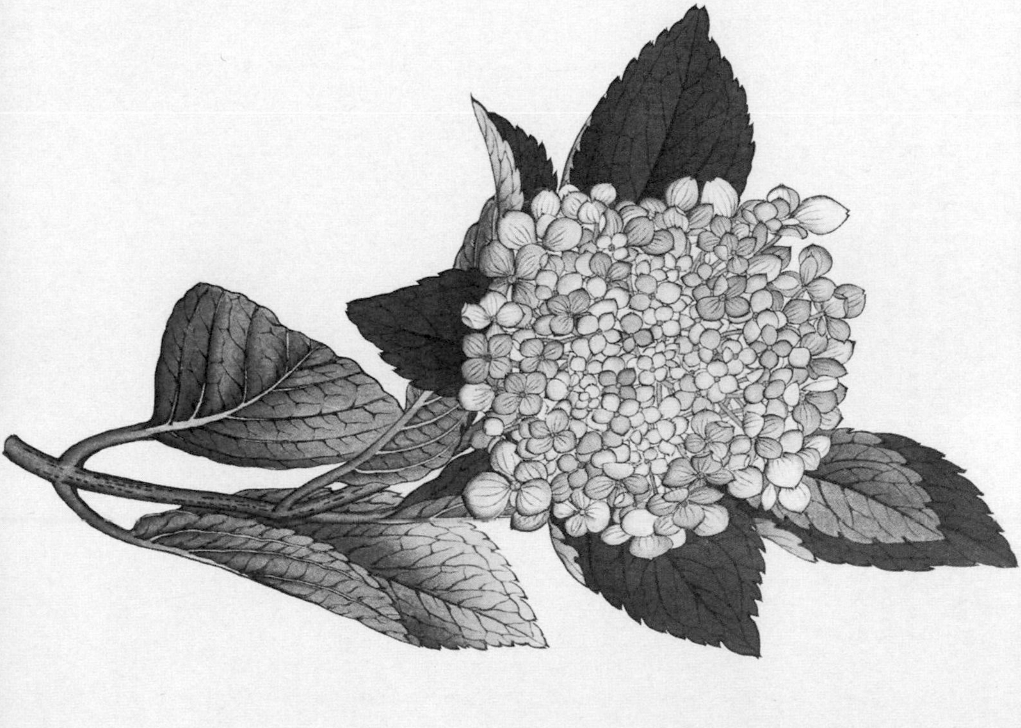

小暑是反映夏天暑热程度的节气，小暑的意思就是天气开始逐渐变热，但还没到最热之时。小暑过后，一般逢卯日食新。食新即尝新米。乡下将新割的稻谷碾成米后，做好饭供祀五谷大神和祖先，然后人人一同吃尝新酒。城市里一般买少量新米与老米同煮。

『热在三伏』，此时正是进入伏天的开始。『伏』即伏藏的意思，所以人们应当减少外出以避暑气。天气热的时候要多喝粥，用荷叶、土茯苓、扁豆、薏米、猪苓、泽泻、木棉花等材料煲成的消暑汤或粥，或甜或咸，非常适合此节气食用。

小暑二候　芙蕖拱壁

君子比德于玉。芙蕖之白。白于白雪。其紅紅于紅玉。白質而紅邊者。名為錦邊蓮。近江國野洲郡田中村。某氏池有蓮。不蔓不枝。一莖數十花。花瓣疊重相壓。不能盡舒。名爲千葉蓮。亦奇種也。

二候，蟋蟀居壁。

亦名促织，此时羽翼未成，故居壁。

倏忽温风至，因循小暑来。竹喧先觉雨，山暗已闻雷。
户牖深青霭，阶庭长绿苔。鹰鹯新习学，蟋蟀莫相催。

——唐 元稹《小暑六月节》

殷疑曙霞染，巧类匣刀裁。不怕南风热，能迎小暑开。
游蜂怜色好，思妇感年催。览赠添离恨，愁肠日几回。
——唐 独孤及《答李滁州题庭前石竹花见寄》

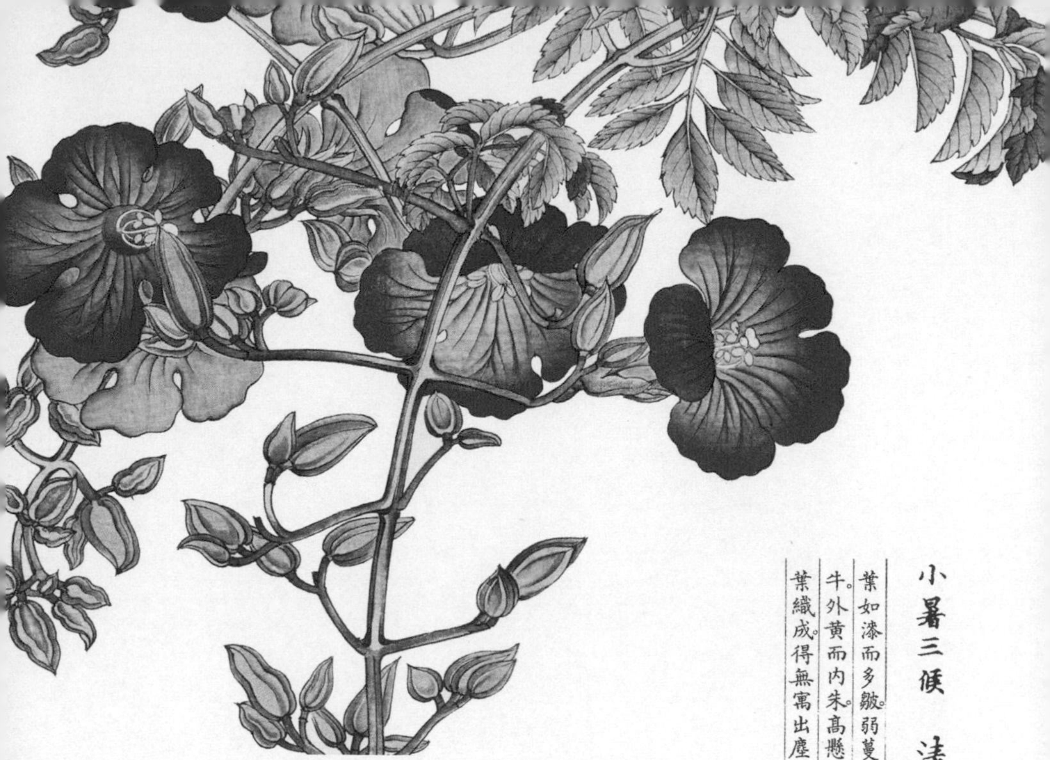

小暑三候　凌霄錦曳

葉如漆而多皺。弱蔓因舊莖。蜿蜒直欲凌紫霄。花似牽牛。外黄而内朱。高懸似曳錦。黄檗隱元所用草笠疊此葉織成。得無寓出塵之意耶。

三候，鹰始蛰。

蛰，音至。鹰感阴气，乃生杀心，学习击搏之事。

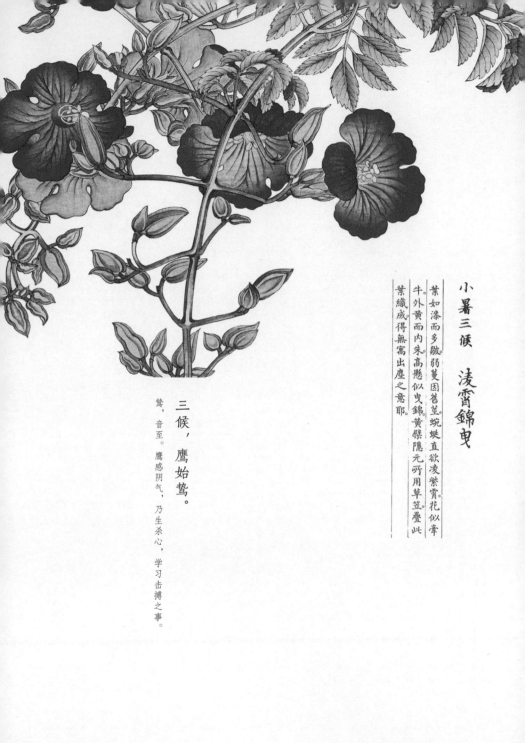

山光忽西落，池月渐东上。散发乘夜凉，开轩卧闲敞。荷风送香气，竹露滴消响。欲取鸣琴弹，恨无知音赏。感此怀故人，终宵劳梦想。

——唐 孟浩然《夏日南亭怀辛大》

小暑风催早豆熟，大暑池畔赏红莲。

大暑一候　茉莉雪香

綠葉白花。其潔比雪。其香勝麝。生香數十種。莫出于茉莉之右者。

一候，腐草为萤。

离明之极，故幽类化为明类。

『斗指丙为大暑，斯时天气甚烈于小暑，故名曰大暑。』大暑正值中伏前后，在我国许多地区，经常出现摄氏40度的高温天气。大暑时节既是喜温作物生长速度最快的时期，也是村落田野蛐蛐儿最多的季候，在有些地区，人们茶余饭后有以斗蛐蛐儿为乐的风俗。

大暑节气是一年中最热的节气。民谚有『六月大暑吃仙草，活如神仙不会老』的说法。烧仙草是台湾著名的小吃之一，有冷、热两种吃法，类似粤港澳地区流行的另一种小吃龟苓膏，也同样具有清热解毒的功效。民间还有『大暑吃童子鸡』的习俗。童子鸡体内含有一定的生长激素，对处于生长发育期的孩子以及激素水平下降的中老年人都有很好的补益作用。

大暑二候　金鳳羣飛

桃葉四披。數十花駢羅其下。如朱鳥羣飛然。西人呼花紅者爲金。因名爲金鳳花。及莢成。手纔觸之。及卷子迸。不可得收。因名爲急性子。

二候，土润溽暑。

溽，音辱，湿也。

何以销烦暑，端居一院中。眼前无长物，窗下有清风。
热散由心静，凉生为室空。此时身自得，难更与人同。

——唐 白居易《销暑》

毕竟西湖六月中，风光不与四时同。
接天莲叶无穷碧，映日荷花别样红。

——宋 杨万里《晓出净慈寺送林子方》

大暑三候 素馨輕颺

莖葉花並類迎春。而輕盈過之。色白而氣香。所以得素馨之名。或云。素馨南漢劉鋹之姬。此草生其墳上。因此得名。近于誣矣。

三候，大雨时行。

老柳蜩螗噪，荒庭熠耀流。人情正苦暑，物怎已惊秋。
月下濯寒水，风前梳白头。如何夜半客，束带谒公侯。

——宋 司马光《六月十八日夜大暑》

大暑虽炎犹自好，且看腐草为萤秒，
匀匀土润散溽蒸，大雨时行苏枯槁。

立秋一候

桔梗多趣

高二三尺。緑葉繞莖而生。花紫碧色。秋花之最多趣者。

根能治病。花能怡目。勲高自龍膽數等。

一候，凉风至。

立秋节气预示着炎热的夏季即将过去，秋天就要来临。唐代，每逢立秋日，便会祭祀五帝。宋代，立秋之日，男女都会戴楸叶以应时序。有以石楠红叶剪刻花瓣簪插鬓边的风俗，也有以秋水吞食小赤豆七粒的风俗。明承宋俗。清代在立秋节这天悬秤称人，和立夏日所称之数相比，以验夏中之肥瘦。民国以来，在广大农村中，在立秋这天的白天或夜晚，有预卜天气凉热之俗。

『民以食为天』，立秋是重要的节气之一，人们当然忘不了吃。以前人们对健康的评判，往往只以胖瘦为标准。瘦了当然需要『补』，弥补的办法就是到了立秋要『贴秋膘』。立秋养生，普通百姓家吃炖肉，讲究一点的人家吃白切肉、红焖肉，以及肉馅饺子、炖鸡、炖鸭、红烧鱼等。

立秋二候　君子有章

使君子。木本而藤生。依物而立。疑無貞固之性。葉似栘對生。色淡而質薄。花大如錢。初開淡黄。次潔白。次粉紅。次大紅。次黯紫。十餘蕚錯雜于枝頭。花之極有文章者。始知古人命名之不苟矣。結實如梔子而五稜。可用治小兒之疳。

二候，白露降。

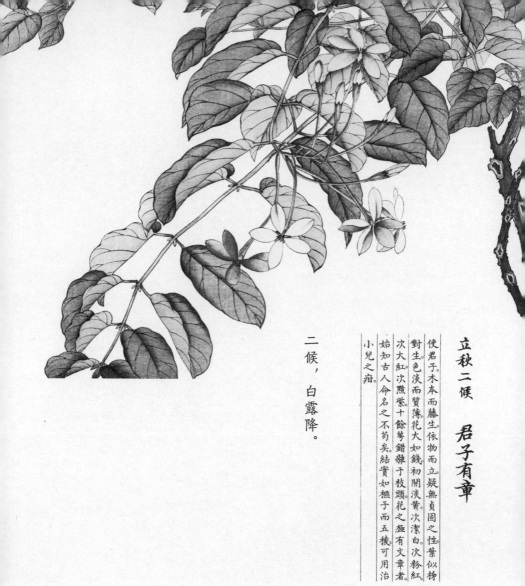

自古逢秋悲寂寥，我言秋日胜春朝。
晴空一鹤排云上，便引诗情到碧霄。
——唐 刘禹锡《秋词》

露簟荻竹清，风扇蒲葵轻。一与故人别，再见新蝉鸣。
是夕凉飙起，闲境入幽情。回灯见栖鹤，隔竹闻吹笙。
夜茶一两杓，秋吟三数声。所思渺千里，云水长洲城。

——唐 白居易《立秋夕有怀梦得》

立秋三候　瞿麦錦緋

葉類篇蓄而尖長。花邊如亂絲者爲瞿麥。花邊如剪成者爲石竹。重葉大花者爲洛陽花。花極多種。雜植園圃中。淺絳深緋。一望如錦。

三候，寒蟬鳴。

蟬小而青赤色者。

乳鸦啼散玉屏空，一枕新凉一扇风。
睡起秋色无觅处，满阶梧桐月明中。
——宋 刘翰《立秋》

立秋向日葵花放，处暑西楼听晚蝉。

處暑一候　草棉鵞黄

棉有二種。木棉產嶺南酷熱之地。綿之用狹矣。一謂之斑枝花。草棉亦呼爲木棉。傳播于吾邦僅三百年。其用尤洪。勲次五穀。葉皆五尖。花類秋葵而小。淡黃色。比鵞雛之初⿰毛叚。結實如桃。待晴吐絮。三顆一蒂。蒙戎如雪。詩人呼爲棉花。其實非花也。

一候，鹰乃祭鸟。

鹰，杀鸟。不敢先尝，示报本也。

处，去也，即暑气终止的意思，处暑意味着炎热的夏天即将过去了。

我国大部分地区的温差加大，属于由热转凉的交替时期。处暑过，暑气止，就连天上的那些云彩也显得疏散而自如，而不像夏天大暑之时浓云成块。秋意渐浓，正是人们畅游郊野迎秋赏景的好时节。处暑节气前后的民俗多与祭祖及迎秋有关。

处暑后白天热，早晚凉，昼夜温差大，降水少，空气湿度低，感觉无力、疲惫、口鼻干燥等秋乏症状的人会越来越多。这个节气宜食清热安神类食物，如银耳、百合、莲子等。多喝开水、淡茶等也同样能减少秋燥。中医认为，这个时段要顺应肺脏的清肃之性，少吃辛辣煎炸等热性食物，多食则会助燥伤阴，加重秋燥。

處暑二候

秋葵冷淡

葵雖多種。大抵乏雅趣。獨黃面者。冷淡多姿。根既供楮先生之用。花麻油收貯。妙治湯潑火傷。有契曇鸞普救之心。

二候，天地始肅。

清肅也。

离离暑云散，袅袅凉风起。池上秋又来，荷花半成子。
朱颜易销歇，白日无穷已。人寿不如山，年光急于水。
青芜与红蓼，岁岁秋相似。去岁此悲秋，今秋复来此。

——唐 白居易《早秋曲江感怀》

空山新雨后，天气晚来秋。明月松间照，清泉石上流。
竹喧归浣女，莲动下渔舟。随意春芳歇，王孙自可留。
——唐 王维《山居秋暝》

處暑三候

建蘭寂寞

古之蘭香在葉。今之蘭香在花。產于幽谷寂寞之濱。不以無人不芳。故又謂之幽蘭。世之贏於財而愛花者。飭以紫檀床交趾窯。爭誇于人。奔於利之徒。獲其失故步者爲奇貨。戾于夫子作幽蘭操待善價之意。

三候，禾乃登。

稷为五谷之长，首熟此时。

疾风驱急雨，残暑扫除空。因识炎凉态，都来顷刻中。
纸窗嫌有隙，纨扇笑无功。儿读秋声赋，令人忆醉翁。

——宋 仇远《处暑后风雨》

一瞬中间处暑至，鹰乃祭鸟谁教汝，
天地属金始整肃，禾乃登堂收几许。

白露一候　丹霞朝蒸

胡枝花自古稱宮城野。在東山則高臺寺。西土不甚賞之。邦人則把與菊花爲伍。謂可以專美于九秋。因製荻字配之。葉成品字。花賽豆花。柔枝依風。遠望之如丹霞朝蒸然。

一候，鸿雁来。

自北而南也。一曰：大曰鸿，小曰雁。

阳气是在夏至达到顶点，物极必反，阴气也在此时兴起。到了白露节气，阴气逐渐加重，清晨的露水随之日益加厚，凝结成一层白白的水滴，所以称为白露。俗语云：『处暑十八盆，白露勿露身。』意思是说，处暑仍热，每天须用一盆水洗澡，过了十八天，到了白露，就不要赤膊裸体了，以免着凉。

白露节气是凉爽季节的开始，也是全年中昼夜温差最大的一个节气。

白露之后昼夜温差加大，此时若贪食生冷、瓜果，则会使脾胃受损而发生腹痛腹泻。春捂秋冻是一条经典的养生保健要诀。讲究秋冻的原因是，秋冬之后，人的毛孔要闭合起来防着凉，如果过早就把厚衣服穿上了，毛孔就会因为受热而开放，突然降温带来的寒气就容易透过毛孔伤人。不过，一些身体部位如头、脚、肚脐等应被排除在秋冻之外。

白露二候　金錢夜落

獨莖高二尺左右。葉狹而長。朱花向下。大如開元錢。午開子落。落必朝天。古人云。得花勝得錢。呼爲夜落金錢。貴其無所壞。

二候，玄鸟归。

燕去也。

戍鼓断人行，边秋一雁声。露从今夜白，月是故乡明。
有弟皆分散，无家问死生。寄书长不达，况乃未休兵。

——唐 杜甫《月夜忆舍弟》

白露团甘子，清晨散马蹄。圃开连石树，船渡入江溪。
凭几看鱼乐，回鞭急鸟栖。渐知秋实美，幽径恐多蹊。

——唐 杜甫《白露》

白露三候　敗醬滿原

葉似澤蘭。上綴碎黃花。秋季滿原。與粟米相似。疑覆車之遺粒。恐野雀之報治長。

三候，群鸟养羞。

羞，粮食也。养羞以备冬月。

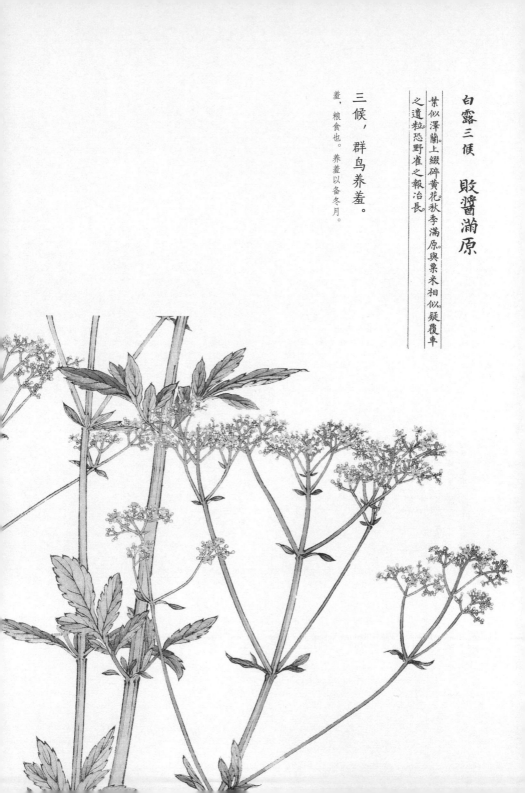

清蝉暂休响，丰露还移色。金飙爽晨华，玉壶增夜刻。
已低疏萤焰，稍减哀蝉力。迎社促燕心，助风劳雁翼。
一悲纨扇情，再想清浅忆。高高拜月归，轧轧挑灯织。
盈盈玉盘泪，何处无消息。

——唐 鲍溶《白露》

翡翠园中沾白露，秋分折桂月华天。

秋分一候　野蓼蔽澤

蓼之用在辣。其不辣者。謂之馬蓼。馬者鄙之之稱。則為冗草。然方秋水初退。紅雲蔽澤。與白蘋相依。漁父遷客扁舟來往。可優游以卒歲。張輪發歎音。不獨為鱸魚膾也。

一候，雷始收声。

雷于二月阳中发声，八月阴中收声。

秋分，『分』即为『半』。秋分时，全球昼夜等长。秋分之后，北半球各地昼渐短夜渐长，南半球各地昼渐长夜渐短。我国古籍《春秋繁露·阴阳出入上下篇》中说：『秋分者，阴阳相半也，故昼夜均而寒暑平。』秋分以后，气温逐渐降低，所以有『白露秋分夜，一夜冷一夜』和『一场秋雨一场寒』的说法。

古代帝王的礼制中有春秋二祭：春祭日，秋祭月。最初祭月的日子在『秋分』这一天，后来因为『秋分』在八月内每年不同，这一天不一定有月亮，遂逐渐约定俗成，将祭月的日子固定在八月十五日。

秋分二候　石蒜可觀

喜生于播間荒蕪之地。且以花葉不相見。人惡之。莫有賞者。然其花奇構。實為可觀。一名脫衣換錦。

二候，蛰虫坯户。

坯，音培。坯户，培益其穴中之户窍而将蛰也。

漏钟仍夜浅，时节欲秋分。泉聒栖松鹤，风除翳月云。
踏苔行引兴，枕石卧论文。即此寻常静，来多只是君。

——唐　贾岛《夜喜贺兰三见访》

屋头明月上，此夕又秋分。千里人俱共，三杯酒自醺。

河清疑有水，夜永喜无云。桂树婆娑影，天香满世间。

——宋 杨公远《三用韵十首》

秋分三候

巖桂堪嚼

桂一名而二種。產嶺之南者。葉有三縱道。樹皮辛辣。為醫家要藥。叢生山之陲者。葉邊有鋸齒。花有白黃丹三色。香氣馨烈。高士咀嚼。謂可以樂飢。

三候，水始涸。

国语曰：辰角见而雨毕，天根见而水涸；雨毕而除道，水涸而成梁。

金气秋分，风清露冷秋期半。凉蟾光满。桂子飘香远。
素练宽衣，仙仗明飞观。霓裳乱。银桥人散。吹彻昭华管。

——宋 谢逸《点绛唇》

自入秋分八月中，雷始收声敛震宫，
蛰虫坏户先为御，水始涸兮势向东。

寒露一候 柔姿斷腸

秋海棠。草花而冒海棠之名。謂其柔姿可愛也。有如魏文婦初抵首于其姑膝。不肯仰視。呼爲斷腸花固當矣。

一候，鸿雁来宾。

宾，客也。先至者为主，后至者为宾，盖将尽之谓。

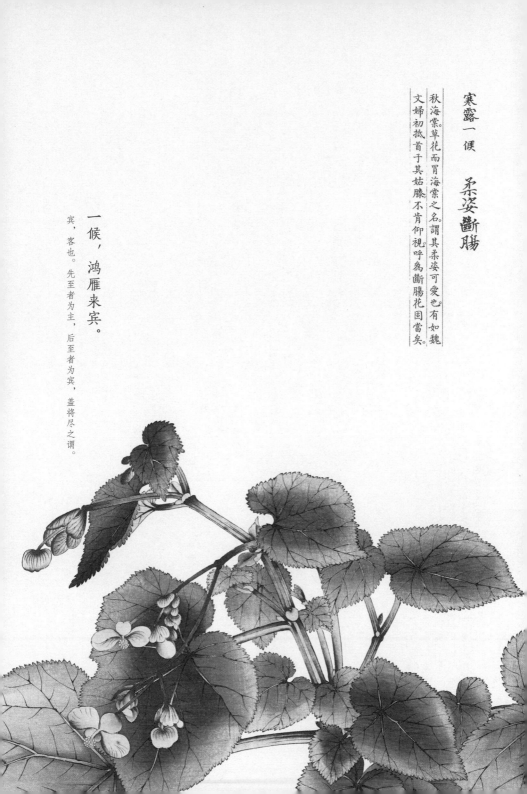

每年10月8日或9日是太阳到达黄经195°时为寒露。寒露的意思是气温比白露时更低，地面的露水更冷，快要凝结成霜了。古代把露作为天气转凉变冷的表征。仲秋白露节气「露凝而白」，至季秋寒露时已是「露气寒冷，将凝结也」。

『白露身不露，寒露脚不露。』这句谚语提醒大家：白露节气一过，穿衣服就不能再赤膊露体；寒露节气一过，应注重足部保暖。另外，秋季在起居上要做到早睡早起，早睡利于养阴，早起利于舒肺，呼吸新鲜空气，使机体津液充足，精力充沛。秋季进补一般认为应在寒露之后，宜多选甘寒滋润之中药。

寒露二候 落英延龄

菊有大中小。而以中為宗。色有紅黃白。而以黃為正。月令麴有黃花。非可誣矣。楚客餐秋菊落英。人或疑之。不知落英指采摘在地者。常服之。可以明目延龄。

二候，雀入大水为蛤。

飞者化潜，阳变阴也。

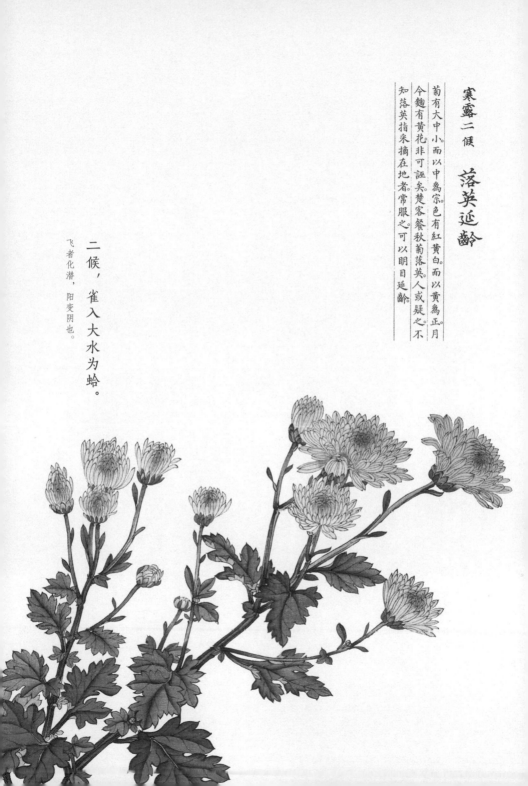

居人行转轼，客子暂维舟。念此一筵笑，分为两地愁。
露湿寒塘草，月映清淮流。方抱新离恨，独守故国秋。
——南朝梁　何逊《与胡兴安夜别》

袅袅凉风动，凄凄寒露零。兰衰花始白，荷破叶犹青。
独立栖沙鹤，双飞照水萤。若为寥落境，仍值酒初醒。
——唐 白居易《池上》

寒露三候 翠菊接檻

馬蘭一種。花大而色紫者為翠菊。或紅或白。雜植接檻。可以長維持園色。

三候，菊有黄华。

诸花皆不言，而此独言之，以其华于阴而独盛于秋也。

望处雨收云断，凭阑悄悄，目送秋光。晚景萧疏，堪动宋玉悲凉。水风轻、苹花渐老，月露冷、梧叶飘黄。遣情伤。故人何在，烟水茫茫。难忘，文期酒会，几孤风月，屡变星霜。海阔山遥，未知何处是潇湘！念双燕、难凭远信，指暮天、空识归航。黯相望，断鸿声里，立尽斜阳。

——宋 柳永《玉蝴蝶》

枯山寒露惊鸿雁，霜降芦花红蓼滩。

霜降一候 芙蓉臨汀

木芙蓉。秋花之堪寒者。故謂之拒霜。其初開淡白。經日漸紅者。花較小。臨汀自照。似妖韶之女。羞酒紅之潮面。名爲醉芙蓉。

一候，豺乃祭兽。

孟秋鹰祭鸟，飞者形小而杀气方萌；季秋豺祭兽，走者形大而杀气乃盛也。

霜降是秋季的最后一个节气，表明秋季到冬季的过渡。古籍《二十四节气解》中说：『气肃而霜降，阴始凝也』。秋晚地面上散热很多，温度骤然下降到零度以下，空气中的水蒸气在地面或植物上直接凝结形成细微的冰针，有的成为六角形的霜花，色白且结构疏松。

霜降时节，各地有一些不同的风俗。在某些地区，霜降时节是要吃红柿子的，在当地人看来，红柿子不但可以御寒保暖，同时还能补筋骨，是非常不错的霜降食品。闽南台湾地区的人们，在霜降的这一天要进食补品，也就是我们北方常说的『贴秋膘』。

霜降二候 雁紅如醉

北雁來賓。籬菊之外。以葉代花。可飭宴席者。唯有此種。抽紅者爲雁來紅。抽黄者爲雁來黄。五色燦爛者爲十樣錦。紅如醉。黄如醒。五色燦爛者如錦繡自悦。並足慰人目。

二候，草木黄落。

阳气去也。

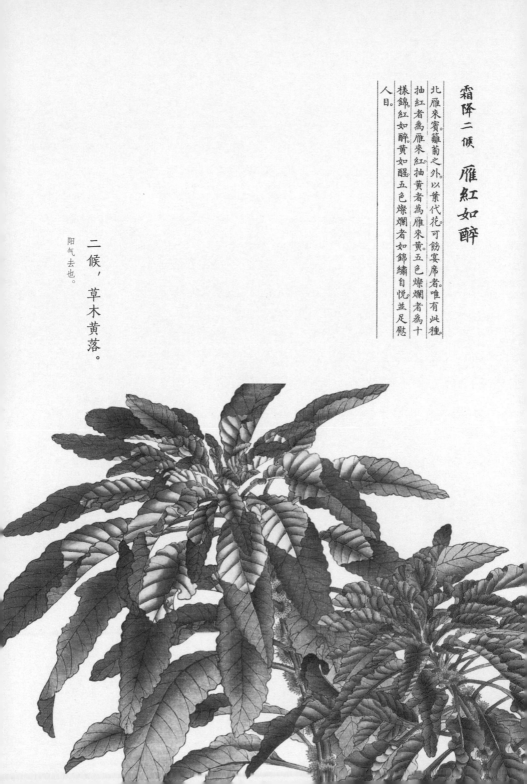

霜草苍苍虫切切，村南村北行人绝。
独出前门望野田，月明荞麦花如雪。

——唐 白居易《村夜》

草木初黄落，风云屡阖开。儿童锄麦罢，邻里赛神回。
鹰击喜霜近，鹳鸣知雨来。盛衰君勿叹，已有复燃灰。
——宋 陆游《霜降前四日颇寒》

霜降三候　蘆白似醒

幼而名葭。長而字蘆。老而號葦。其將枯也。飛霜夜撲。江潭千頃。一白如雪。想靈均之獨醒。

三候，蛰虫咸俯。

俯，蛰伏也。

霜降碧天静，秋事促西风。寒声隐地，初听中夜入梧桐。起瞰高城回望，寥落关河千里，一醉与君同。叠鼓闹清晓，飞骑引雕弓。岁将晚，客争笑，问衰翁。平生豪气安在，沈领为谁雄。何似当筵虎士，挥手弦声响处，双雁落遥空。老矣真堪愧，回首望云中。

——宋 叶梦得《水调歌头》

休言霜降非天意，豺乃祭兽班时意，
草木皆黄落叶天，蛰虫咸俯迎寒气。

立冬一候 烏桕纔染

樹之可收蠟及油者。漆黃櫨之外有烏桕。葉橢圓中廣。著花碎黃不堪觀。結實三隅。比蓖麻小。比巴豆更小。霜風一施。紅黃繽紛。纔染乃落。

一候，水始冰。

立冬是一年中八个最重要的节气之一，实际上立冬并不等于冬季到来。立冬的『冬』字同『终』，有万物收获、储藏之意。此时，草木凋零、动物蛰伏，万物都趋于休止，开始养精蓄锐，为春季的勃发做储备。

在我国北方，人们立冬爱吃饺子，这是来源于「交子之时」的说法。立冬是秋冬季节之交，故「交」子之时的饺子不能不吃。在我国南方，立冬人们爱吃些鸡鸭鱼肉。在台湾地区，立冬这一天，街头的「羊肉炉」「姜母鸭」等冬令进补餐厅高朋满座。许多家庭还会炖麻油鸡、四物鸡来补充能量。

立冬二候　龍膽長青

其根苦于口。而利于病。味苦故謂之膽。其花攢于葉閒。甚明麗。自秋接冬。帶霜長青。亦東方肝木之色也。中剛而外柔。吾甚欽之。

二候，地始冻。

孟冬寒气至，北风何惨懔？愁多知夜长，仰观众星列。三五明月满，
四五蟾兔缺。客从远方来，遗我一书札。上言长相思，下言久离别。
置书怀袖中，三岁字不灭。一心抱区区，惧君不识察。

——《古诗十九首之孟冬寒气至》

吴中霜雪晚，初冬正佳时。丹枫未辞林，黄菊犹残枝。
鸣雁过长空，纤鳞泳清池。气和未重裘，临水照须眉。
悠然据石坐，亦复出门嬉。野老荷锄至，一笑成幽期。

——宋 陆游《冬晴》

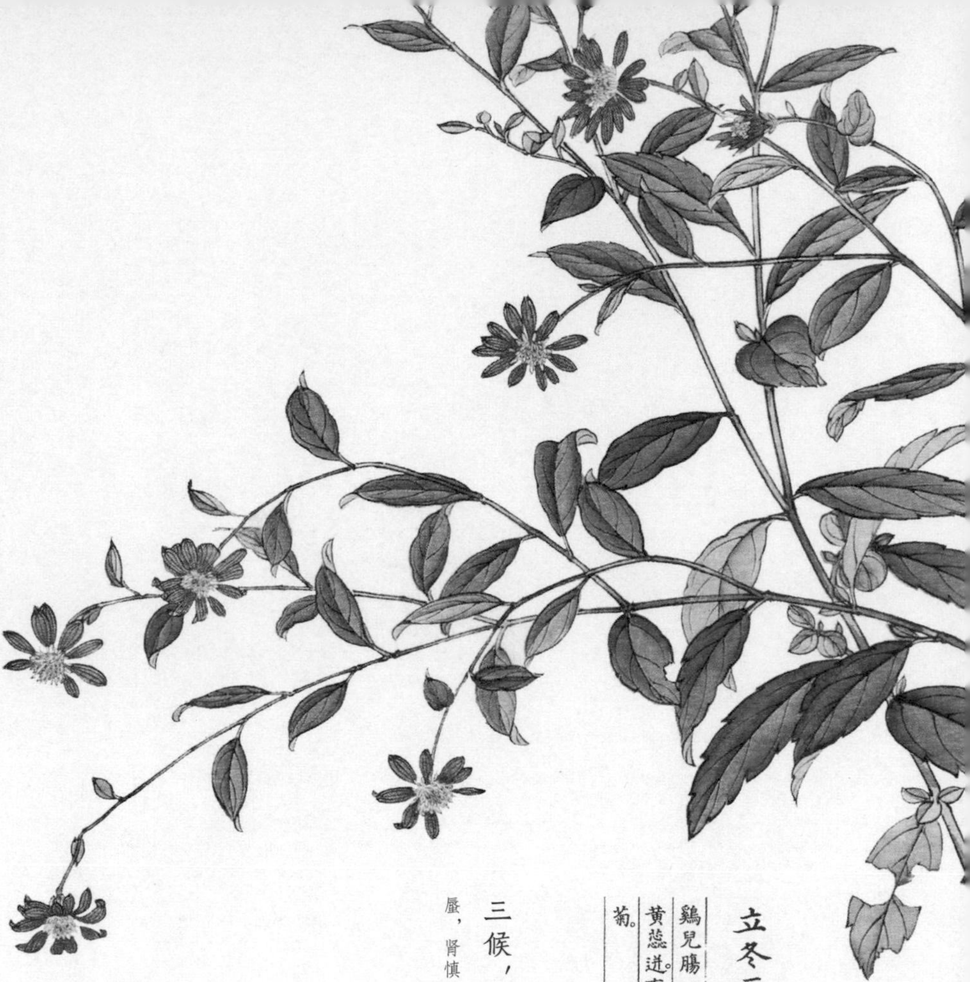

立冬三候　馬蘭蕊迸

鷄兒腸一種。分枝較密。開花頗妍者爲馬蘭。紫葩數而黃蕊迸。有類單瓣菊花。故俗呼爲紺菊。西人亦謂之藍菊。

三候，雉入大水为蜃。

蜃，肾慎二音，蚌属。

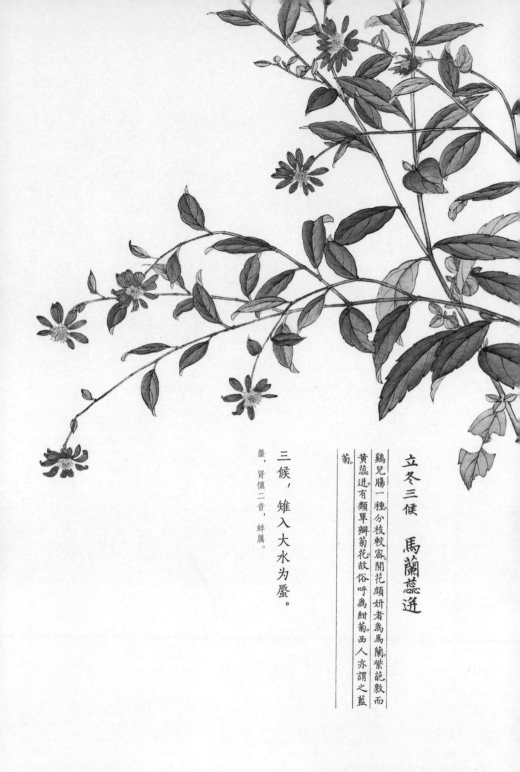

细雨生寒未有霜，庭前木叶半青黄。
小春此去无多日，何处梅花一绽香。
——宋 仇远《立冬即事二首之一》

立冬畅饮麒麟阁，绣襦小雪咏诗篇。

小雪一候　菟茗氣吐

菟道之茶。為天下最。不獨嫩芽可供雅賞。花亦清芬。緘破氣吐。剪而插瓶。瀹茶賞之。恐有煮豆燒萁之謗。

一候，虹藏不见。

季春阳胜阴，故虹见；孟冬阴胜阳，故藏而不见。

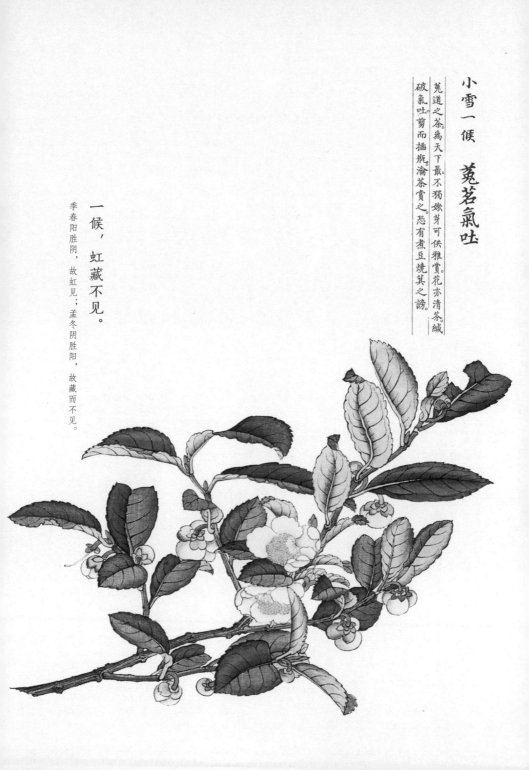

进入小雪节气，意味着气温持续走低，天气寒冷。节气的小雪与天气的小雪无必然联系，小雪节气是一个气候概念，它代表的是小雪节气期间的气候特征；而天气预报中的小雪是指降雪强度较小的雪。古籍《群芳谱》中说：『小雪气寒而将雪矣，地寒未甚而雪未大也。』

小雪后气温急剧下降，天气变得干燥，是加工腊肉的好时候。小雪节气后，一些农家开始动手做香肠、腊肉，等到春节时正好享受美食。在南方某些地方，还有农历十月吃糍粑的习俗。古时，糍粑是南方地区传统的节日祭品，最早是农民用来祭牛神的供品。俗语『十月朝，糍粑禄禄烧』，就是指的祭祀事件。

小雪二候　風蘭一莖

風蘭。有大小二種。小者屬石斛。大者屬幽蘭。屬幽蘭者。一莖九花。花戶呼早開者爲寒風蘭。晚開者爲春風蘭。花穗皆下垂。一名掛蘭。

二候，天气上升，地气下降。

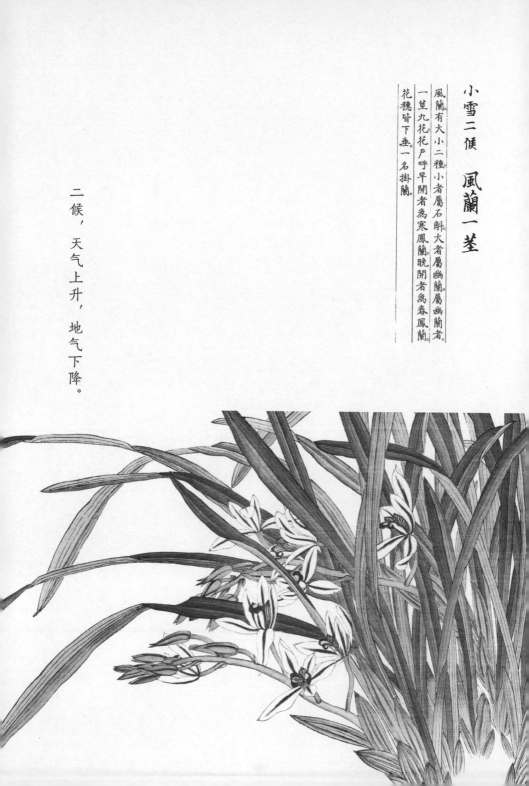

花雪随风不厌看，更多还肯失林峦。
愁人正在书窗下，一片飞来一片寒。
——唐 戴叔伦《小雪》

檐飞数片雪，瓶插一枝梅。
童子敲清磬，先生入定回。
——宋 陆游《小雪》

小雪三候　吉祥無數

根如石菖蒲。葉如薹。花小瓣厚。外紫内白。一莖十餘萼。人言。此草著花。家有吉祥。然栽培得宜。抽莖無數。未必皆寥寥也。

三候，闭塞而成冬。

阳气下藏地中，阴气闭固而成冬。

小雪晴沙不作泥，疏帘红日弄朝晖。
年华已伴梅梢晚，春色先从草际归。
——宋 黄庭坚《春近四绝句》

逡巡小雪年华暮，虹藏不见知何处，
天升地降雨不交，闭塞成冬如禁固。

大雪一候　茶梅先鞭

類山茶花。樹葉皆小。冒霜雪先發。梅花山茶。愕然在後。亦搢江祖生之比也。

一候，鹖旦不鸣。

鹖旦，夜鸣求旦之鸟，亦名寒号虫，乃阴类而求阳者，兹得一阳之生，故不鸣矣。

大雪，顾名思义，雪量大。古人云：『大者，盛也，至此而盛也』。这时我国大部分地区的最低温度都降到了零度或以下。在强冷空气前沿冷暖空气交锋的地区，往往会降大雪甚至暴雪。可见，大雪节气是表示这一时期降大雪的起始时间和雪量程度，它和小雪、雨水、谷雨等一样，都是直接反映降水的节气。

大雪节气后，即将进入隆冬，若过量地吃一些进补的东西，会让食物滞留在我们的肠胃中，阻碍我们的本身就遇冷受到刺激的肠胃。雪后的大风使气温骤降，咳嗽、感冒的人比平时多。有些疾病的发生与不注意保暖有很大关系，此时应特别注意头、胸、脚这三个部位免受寒邪侵袭。

大雪二候　山茶後拒

初抽芽時。蒸碾爲末。可和茶助色。故名山茶。世人誤填以椿字。因椿山茶古名相近。花有數十品。自冬至春。後先相映。以此爲一年花木之殿。不亦可乎。

二候，虎始交。

虎本阴类，感一阳而交也。

雪里已知春信至，寒梅点缀琼枝腻。香脸半开娇旖旎，当庭际，玉人浴出新妆洗。造化可能偏有意，故教明月玲珑地。共赏金尊沈绿蚁，莫辞醉，此花不与群花比。

——宋 李清照《渔家傲》

大雪江南见未曾，今年方始是严凝。巧穿帘罅如相觅，重压林梢欲不胜。

毡幄掷卢忘夜睡，金羁立马怯晨兴。此生自笑功名晚，空想黄河彻底冰。

——宋　陆游《大雪》

大雪三候 水仙銀臺

素葩承黃。故稱金盞銀臺。近年舶載者。有中外俱白。有中外俱黃。其重葉者。即玉玲瓏也。

三候，荔挺出。

荔，一名马蔺，叶似蒲而小，根可为刷。

天将暮，雪乱舞，半梅花半飘柳絮。
江上晚来堪画处，钓鱼人一蓑归去。

——元　马致远《寿阳曲·江天暮雪》

幽闺大雪红炉暖，冬至琵琶懒去弹。

冬至一候 杜衡金釡

古言。杜衡亂細辛。今人猶呼杜衡為細辛。習俗之難改如此乎。細辛止四五種。皆凋于歲寒。杜衡數百品。四時不改色。一種黄花者。狀如釡。色如金。亦雅賞也。

一候，蚯蚓结。

阳气未动，屈首下向，阳气已动，回首上向，故屈曲而结。

冬至是中国农历中一个非常重要的节气，也是中华民族的传统节日，冬至俗称『冬节』『长至节』『亚岁』等。早在二千五百多年前的春秋时代，中国就已经用土圭观测太阳，测定出了冬至，它是二十四节气中最早制订出的一个。古人认为到了冬至，虽然还处在寒冷的季节，但春天已经不远了。

冬至经过数千年发展，形成了独特的节令食文化。诸如馄饨、饺子、汤圆、赤豆粥、黍米糕等都可作为年节食品。北方还有不少地方，在冬至这一天有吃狗肉和羊肉的习俗，在我国台湾还保留着冬至用九层糕祭祖的传统，用糯米粉捏成鸡、鸭、龟、猪、牛、羊等象征吉祥和福禄寿的动物，在蒸笼中分层蒸成，用以祭祖，以示不忘老祖宗。

冬至二候

磬口心紫

蠟梅凡三種。有九英荷花磬口之別。皆黃葩檀心。對葉銳首類辛夷。葉脫蕾露。形有類梅。而無龍蟠虎踞之態。三種之中。以磬口為上。

二候，麋角解。

阴兽也，得阳气而解。

年年至日长为客，忽忽穷愁泥杀人。江上形容吾独老，天边风俗自相亲。

杖藜雪后临丹壑，鸣玉朝来散紫宸。心折此时无一寸，路迷何处见三秦。

——唐 杜甫《冬至》

十一月中长至夜，三千里外远行人。
若为独宿杨梅馆，冷枕单床一病身。

——唐 白居易《冬至宿杨梅馆》

冬至三候

迷迭香奇

樹小而老蒼。葉纖而糙硬。其香特奇。四時著花。粉紫色。似薄荷花。

三候，水泉动。

天一之阳生也。

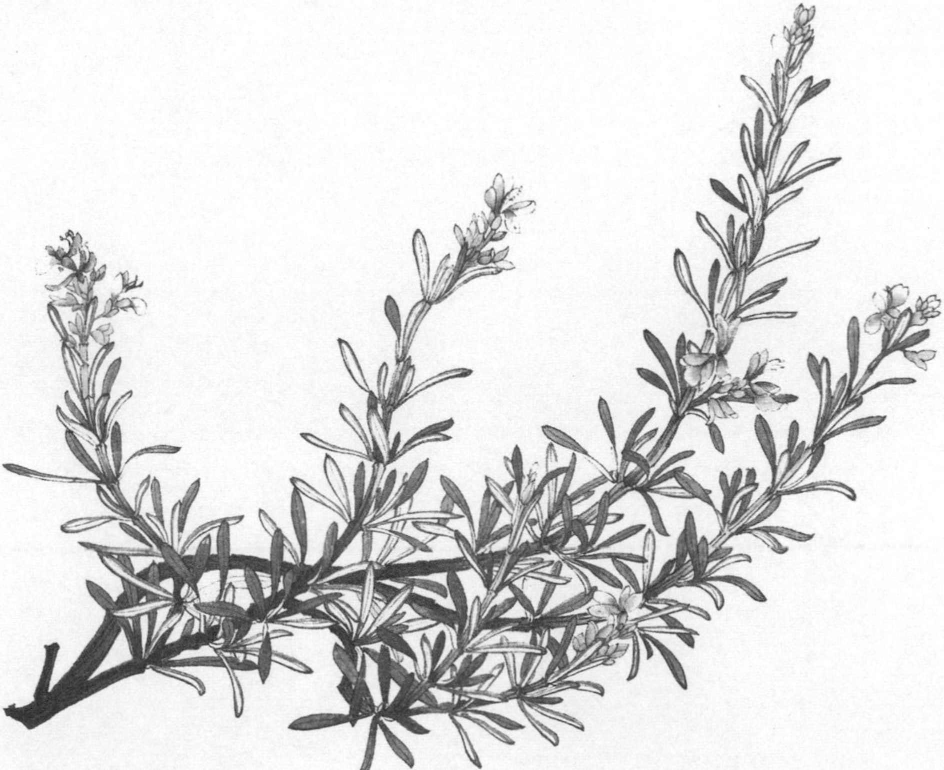

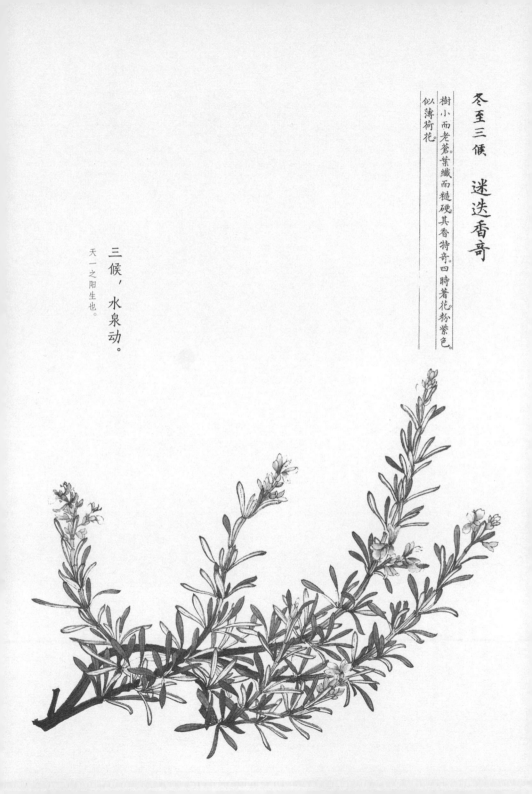

寒谷春生，熏叶气、玉筒吹谷。新阳后、便占新岁，吉云清穆。休把心情关药裹，但逢节序添诗轴。笑强颜、风物岂非痴，终非俗。昼永，使眠熟。门外事，何时足。且团栾同社，笑歌相属。著意调停云露酿，从头检举梅花曲。纵不能、将醉作生涯，休拘束。

——宋 范成大《满江红》

短日渐长冬至矣，蚯蚓结泉更不起，
渐渐林间麋角解，水泉摇动温井底。

小寒一候　杷萼襯葉

草花不畏寒者為款冬。樹花不畏寒者為枇杷。並性堅貞。可以亢冬日祁寒。故枇杷亦有款冬之名。西土藥舖遂混為一。至以枇杷花為款冬蘂之誤之甚也。若夫僧房逢著款冬華。吾以為枇杷花逢著二字。非樹花不足以當之也。傅咸賦。積雪被崖。顧見款冬。煒然始敷華豔者。吾又以為枇杷花。積雪被崖之時。不得顧見陂上之花也。抑枇杷之賞在花。綠葉襯白花。與松柏為伍。醉後耳熱。立其下。晚風輕過。疑微雪拂面。快不可言。款冬之賞在葉。北地之產。高與人等。夏日早起行其間。自有一種奇芬。陣陣撲鼻。妙不可言。非麥氣所彷彿也。

一候，雁北乡。

一岁之气，雁凡四候。如十二月雁北乡者，乃大雁，雁之父母也。正月候雁北者，乃小雁，雁之子也。八月鸿雁来，亦大雁，雁之父母。九月鸿雁来宾，亦小雁，雁之子也。盖先行者其大，随后者其小也。

“寒”作为冬天比较重要的一个节气，通常预示着大降温的开始。在每年的天气记录里，小寒是气温最低的节气，只有少数年份的大寒气温低于小寒的。《月令七十二候集解》中说“月初寒尚小……月半则大矣”。又由于小寒还处于“二九”的最后几天里，小寒过几天后，才进入“三九”，并且冬季的小寒正好与夏季的小暑相对应，所以称为小寒。

涮羊肉火锅、吃糖炒栗子、烤白薯为小寒时尚。俗语说『三九补一冬，来年无病痛』，说的就是冬令食羊肉调养身体的做法。据《津门杂记》记载，天津地区旧时有小寒吃黄芽菜的习俗。生活上，除注意日常保暖外，进入小寒年味渐浓，人们开始忙着写春联、剪窗花，赶集买年画、彩灯、鞭炮、香火等，陆续为春节作准备。

小寒二候　榛花懸枝

女之贄榛栗。榛之用舊矣。然有十榛九空之語。不能免華而無實之譏。此樹花實異所。葉之全脫。數花懸枝頭。似赤楊而黰紫色。茶博士插鉼以爲雅觀。

二候，鹊始巢。

鹊知气至，故为来岁之巢。

晓日初长，正锦里轻阴，小寒天气。未报春消息，早瘦梅先发，浅苞纤蕊。搵玉匀香，天赋与，风流标致。问陇头人，音容万里。待凭谁寄。一样晓妆新，倚朱楼凝盼，素英如坠。映月临风处，度几声羌管，愁生乡思。电转光阴，须信道、飘零容易。且频欢赏，柔芳正好，满簪同醉。

——宋　喻陟《蜡梅香》

小寒时节，正同云暮惨，劲风朝烈。信早梅、偏占阳和，向日暖临溪，一枝先发。时有香来，望明艳、瑶枝非雪。想玲珑嫩蕊，绰约横斜，旖旎清绝。仙姿更谁并列。有幽香映水，疏影笼月。且大家、留倚阑干，对绿醑飞觥，锦笺吟阅。桃李繁华，奈比此、芬芳俱别。等和羹大用，休把翠条谩折。

——宋 无名氏《望梅》

小寒三候　木筆書空

辛夷。冬月無葉。唯見枝柯縱横。千百木筆。咄咄書空。造物無私。不知於汝有何不平。

三候，雉始鸲。

感于阳而后有声。

众芳摇落独暄妍，占尽风情向小园。疏影横斜水清浅，暗香浮动月黄昏。
霜禽欲下先偷眼，粉蝶如知合断魂。幸有微吟可相狎，不须檀板共金樽。

——宋　林逋《山园小梅》

小寒高卧邯郸梦，捧雪飘空交大寒。

大寒一候 款冬穿陂

按字書。款叩也。求通也。款冬之芭方至陰之時萌動。求微陽之通。所以有款冬之名。見其鬆脆而穿堅陂。柔能勝剛者也。五行之序。木剋土。豈謂此類乎。

一候，鸡乳。

鸡，水畜也，得阳气而卵育，故云乳。

大寒是二十四节气中最后一个节气，每年1月20日前后太阳到达黄经300°时为大寒。大寒，是天气寒冷到极点的意思。《授时通考·大时》引《三礼义宗》：『大寒为中者，上形于小寒，故谓之大……寒气之逆极，故谓大寒。』这时寒潮南下频繁，是我国大部地区一年中的寒冷时期，呈现出冰天雪地、天寒地冻的严寒景象。

按我国的风俗，特别是在农村，每到大寒节气，人们便开始忙着除旧布新，腌制年肴，准备年货。大寒至立春这段时间，有很多重要的民俗和节庆，如尾牙祭、祭灶和除夕等，有时甚至连我国最大的节庆春节也处于这一节气中。

大寒二候　獐耳善喻

毛蟲三百六十。唯獐其耳三歧。有艸於兹。花小于錢。粉紅可愛。葉厚而三尖。呼爲獐耳細辛。可謂善取喻矣。

二候，征乌厉疾。

征乌，鹰隼之属，杀气盛极，故猛厉迅疾而善于击也。

八年十二月，五日雪纷纷。竹柏皆冻死，况彼无衣民。观村闾间，十室八九贫。北风利如剑，布絮不蔽身。唯烧蒿棘火，愁坐夜待晨。乃知大寒岁，农者尤苦辛。顾我当此日，草堂深掩门。褐裘覆絁被，坐卧有余温。幸免饥冻苦，又无垄亩勤。念彼深可愧，自问是何人。

——唐 白居易《村居苦寒》

天色寒春苍，北风叫枯桑。厚冰无裂文，短日有冷光。
敲石不得火，壮阴正夺阳。调苦竟何言，冻吟成此章。

——唐 孟郊《苦寒吟》

大寒三候　迎春佳期

春之季秋之仲。為百花鬬芳之候。雖絕愛花者。無暇一一顧之。其能耐寒冒雪迎春。黃葩爛熳者。獨專主人之寵受貴賓之憐。可不謂知佳期乎。

三候，水泽腹坚。

阳气未达，东风未至，故水泽正结而坚。

北商久不通，犁枣罕登盘；山舍惟有橘，琐细如弹丸，此外则柿栗，收拾猿鸟残。虽无庞翁话，儿孙亦团栾。今岁雨雪晚，岁莫始大寒，二稚乃可怜，不诉衣襦单。地炉有微火，诵书到更阑。我老多感慨，赖汝差自宽。

——宋 陆游《示福孙井示喜曾》

一年时尽大寒来，鸡始乳兮如乳孩，
征鸟当权飞厉疾，泽腹弥坚冻不开。

图书在版编目（CIP）数据

时令如花：七十二候·花信风/(日)巨势小石绘.
—北京:中国画报出版社，2016.1
ISBN 978-7-5146-1248-6

Ⅰ.①时… Ⅱ.①巨… Ⅲ.①古典诗歌-诗集-中国
②风俗习惯-介绍-中国 Ⅳ.①I222②K892

中国版本图书馆CIP数据核字(2015)第293458号

时令如花　七十二候·花信风　［日］巨势小石　绘

出 版 人：于九涛
责任编辑：赵　菁
责任印制：焦　洋
出版发行：中国画报出版社
（中国北京市海淀区车公庄西路33号　邮编：100048）
开　　本：32开（880mm×1230mm）
印　　张：9.25
字　　数：15千
版　　次：2016年1月第1版　2016年1月第1次印刷
印　　刷：北京博海升彩色印刷有限公司
定　　价：58.00元

总编室兼传真：010-88417359　版权部：010-88417359
发　行　部：010-68469781　010-68414683（传真）

时令如花

七十二候·花信风